DIE HÖHLE DER LÖWEN

KÜCHENHITS FÜR KIDS – EINE ERFOLGSSERIE!

Auf der Suche nach einem Kapitalgeber für die Umsetzung der „Kinderleichten Becherküche" wagte Birgit Wenz den mutigen Schritt und stellte ihr Kinderbackbuch in der Gründer-Show „Die Höhle der Löwen" beim Fernsehsender VOX vor.

Hier bekommen Erfinder und Unternehmensgründer die einmalige Gelegenheit, ihre innovativen Geschäftsideen vor finanzstarken Investoren zu präsentieren und sie davon zu überzeugen, in ihr Start-up zu investieren und sie mithilfe ihres Wissens und ihrer Erfahrung fachlich zu begleiten.

Birgit Wenz nutzte ihre Chance, konnte die Unternehmer von sich überzeugen und vor allem Investor Ralf Dümmel mit ihrem Konzept begeistern – ein Konzept, auf das die kleinen und großen Bäckerinnen und Bäcker schon lange gewartet haben!

BÄRENKEKSE

PLÄTZCHEN MIT ZUCKERGUSS

PLÄTZCHEN MIT MARMORIERUNG

SCHOKOLINSENPLÄTZCHEN

KEKSBLUMEN

COOKIES

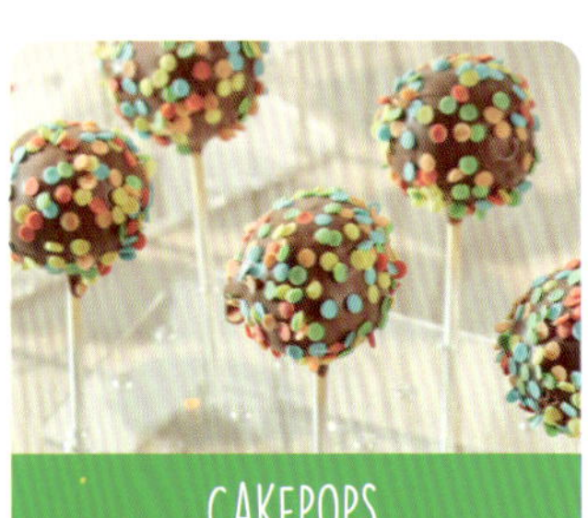
CAKEPOPS

WHOOPIE PIES

HALLOWEEN GESPENSTER

LINZERPLÄTZCHEN

KOKOSMAKRONEN

VANILLEKIPFERL

SCHOKOLEBKUCHEN

HERZLICH WILLKOMMEN IN DER „KINDERLEICHTEN BECHERKÜCHE"!

Das Backen von „Plätzchen, Keksen, Cookies &. Co." mit den Rezepten von "Kinderleichte Becherküche" ist eine großartige Möglichkeit, Kinder spielerisch in die Küche einzubeziehen und ihnen grundlegende Backfähigkeiten beizubringen. Das Buch bietet eine Vielzahl von kreativen Rezepten, die einfach zuzubereiten sind und Kindern dabei helfen, zukünftige Backprofis zu werden.

Das besondere am Konzept „Kinderleichte Becherküche" ist, dass die Zutaten mit unterschiedlich großen farbigen Bechern abgemessen werden und eine übersichtliche Bild-für-Bild-Anleitung durch das Rezept führt.

Daneben sprechen noch mehr Vorteile für das Arbeiten mit diesem Buch.

Lernmöglichkeiten: Kinder haben durch diese Herangehensweise die Möglichkeit, wichtige Fähigkeiten zu erlernen, die sie in ihrem täglichen Leben nutzen können. Sie schulen ihre mathematischen Fähigkeiten, den Umgang mit Zahlen und Mengen, zu ordnen und zu sortieren, sowie das Einhalten einer Reihenfolge.

Selbstständigkeit: Die Rezepte sind so konzipiert, dass Kinder sie weitgehend eigenständig umsetzen können. Dies fördert ihr Selbstbewusstsein und ihre Unabhängigkeit in der Küche.

Spaß und Kreativität: Die Rezepte sind auf die Bedürfnisse und Vorlieben von Kindern zugeschnitten. Sie beinhalten kreative Elemente wie bunte Streusel und verschiedene Formen, die das Backen für Kinder unterhaltsam machen und ihre Kreativität fördern.

Familienzeit: Das Backen von Plätzchen mit diesen Rezepten bietet eine großartige Gelegenheit für Familienzeit. Eltern und Kinder können gemeinsam in der Küche arbeiten, sich austauschen, zusammen Spaß haben und schließlich die köstlichen Ergebnisse genießen.

Back Spaß für die ganze Familie gibt es mit diesen Rezepten garantiert!

Birgit Wenz

Die Autorin Birgit Wenz ist Erzieherin und Mutter. Ihr Ziel ist es Kinder spielerisch und mit Freude ans Backen heranzuführen. Von ihrem Konzept „Kinderleichte Becherküche" sind Kinder und Familien in ganz Deutschland begeistert. Die Rezepte sind speziell auf die Bedürfnisse von Mädchen und Jungen zugeschnitten und werden in ausführlichen Bildern Schritt-für-Schritt präsentiert. Eine Vielzahl von Büchern mit süßen und herzhaften Gerichten, sowie Backwaren sorgen für Abwechslung in der Küche.

INHALT

SO FUNKTIONIERT DIE „KINDERLEICHTE BECHERKÜCHE"

Aufbau des Buches

Jedes der 13 Rezepte besteht aus einer Übersicht mit Zutaten- und Materialliste sowie einer mehrseitigen Schritt-für-Schritt-Bildanleitung – übersichtlich strukturiert und leicht verständlich.

Vorbereitung

Zutaten wie z.B. Mehl, Zucker, Milch, oder Öl in ausreichender Menge bereitstellen, ohne diese vorher abzuwiegen bzw. abzumessen. Beispiel:
Für 280 g Mehl einfach eine ganze Packung Mehl (1 kg) vorbereiten.

Das benötigte Material aus der Rezeptübersicht bereitstellen.

Anleiten des Kindes bzw. der Kinder

Der Erwachsene und das Kind betrachten den 1. Arbeitsschritt und besprechen diesen. Nachdem das Kind die Aufgabe verstanden hat, sollte es sie selbstständig ausführen. Die Aufgabe des Erwachsenen ist es, sich begleitend im Hintergrund zu halten und lediglich Hilfestellung zu geben, wenn das Kind allein nicht mehr weiterkommt. Mit den weiteren Arbeitsschritten wird ebenso verfahren. Beim Umgang mit Elektrogeräten muss das Kind jedoch sorgfältig von Erwachsenen beaufsichtigt werden. Bitte beachten Sie zudem die Bedienungsanleitungen der verwendeten Küchengeräte.

RATGEBER ZUTATEN

Milch
Stets zimmerwarme Milch verwenden, ca. 23 °C.

Mehl
Bei allen Rezepten wird Weizenmehl Type 405 verwendet.

Wasser
Immer lauwarmes Wasser verwenden, ca. 35 °C.

Eier
Entsprechen der Größe M.

Butter
Die Butter frühzeitig vor dem Backen aus dem Kühlschrank nehmen. Bei Zimmertemperatur lässt sie sich einfacher verarbeiten und verbindet sich am besten mit den anderen Zutaten.

ABMESSEN DER ZUTATEN

Mehl

Zum einfachen Abmessen das Mehl in einen großen Vorratsbehälter füllen. Den Becher gehäuft füllen. Anschließend mit einem Messer überschüssiges Mehl einfach in den Vorratsbehälter abstreifen, damit der Becher randvoll gefüllt ist.

Weitere Zutaten

Den passenden Becher stets bis zum Rand füllen. Es gibt keinen Eichstrich oder Ähnliches.

HINWEISE

Vorsicht beim Umgang mit Elektrogeräten!

HIER STEHT DIE SICHERHEIT DES KINDES IM VORDERGRUND!

Es liegt im Ermessen des Erwachsenen, inwieweit das Kind selbstständig das Rührgerät benutzen darf. Ebenso entscheidet der Erwachsene über den Umgang mit dem heißen Backofen. Bitte beachten Sie die Anweisungen in den Bedienungsanleitungen der jeweiligen Elektrogeräte hinsichtlich der Bedienung durch Kinder.

Teig kneten

Teig kneten, sowohl mit der Hand als auch mit dem Rührgerät, ist für Kinder oft schwer. Hier muss meist ein Erwachsener unterstützen.

Teig auswellen

Manchmal ist es schwierig und erfordert viel Kraft, einen Teig dünn auszuwellen. Die Unterstützung und Hilfe eines Erwachsenen ist hier wichtig.

Backofen

Jeder Backofen backt anders. Oft gibt es Unterschiede im Backverhalten der Geräte. Deshalb sind die Temperatur und Backzeiten bei den Rezepten nur ungefähre Angaben. Zur Sicherheit sollte das Gebäck im Ofen beobachtet werden.

Eier trennen

Eier trennen können Kinder in diesem Alter meist noch nicht. Deshalb wird darauf verzichtet. Plätzchen können ebenso mit einem ganzen Ei bestrichen werden.

Becherset

Das Becherset ist lebensmittelecht und spülmaschinengeeignet.

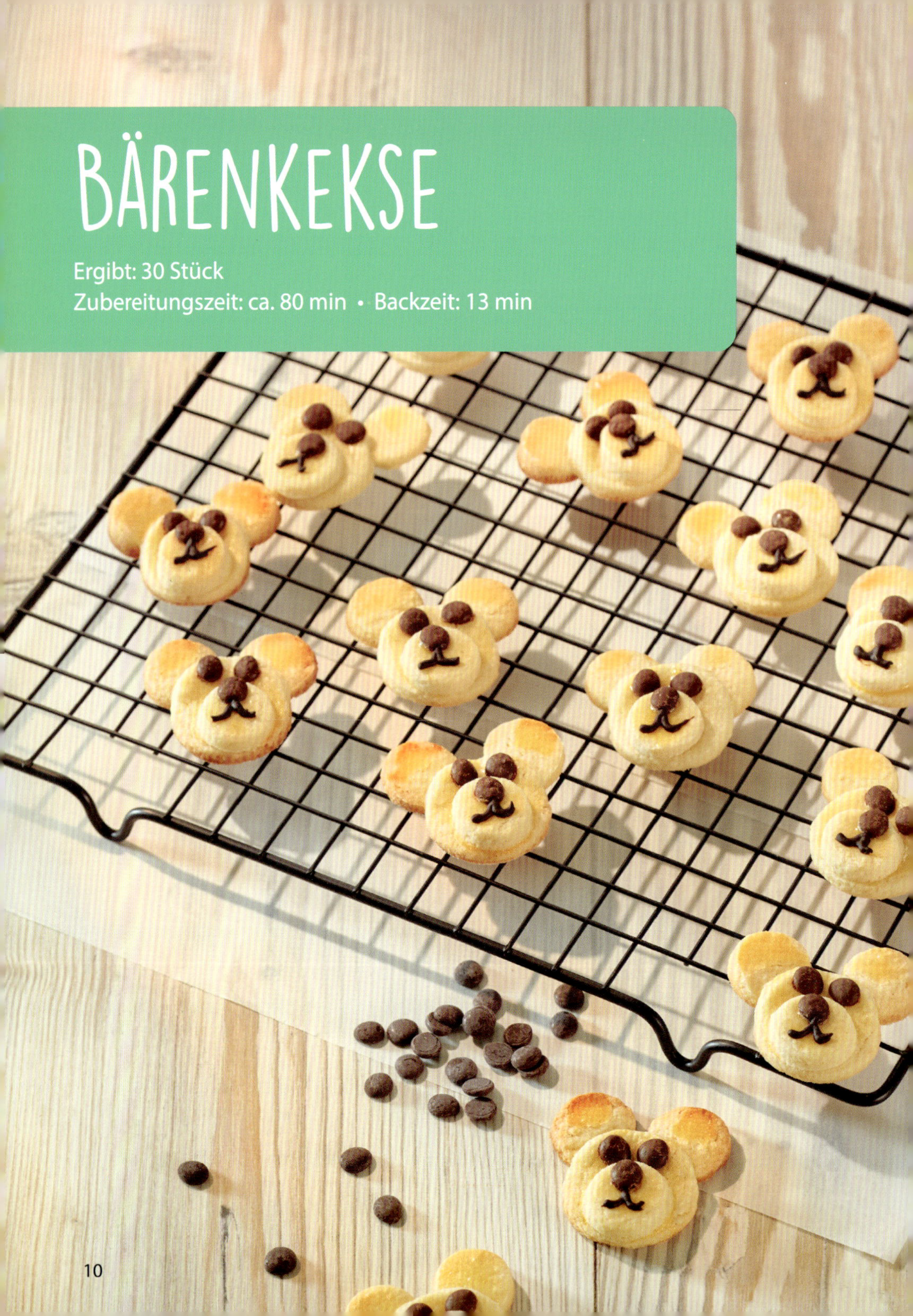

BÄRENKEKSE

Ergibt: 30 Stück
Zubereitungszeit: ca. 80 min • Backzeit: 13 min

ZUTATEN

210 g Weizenmehl

100 g Zucker

2 Eier

125 g Butter

Schokotropfen

Zuckerstift braun

MATERIAL

- Becherset
- Wecker
- Schüssel
- Glas zum Ei aufschlagen
- Messer
- Gabel
- Nudelholz
- Backblech mit Backpapier
- Pinsel
- Schere
- Topflappen
- Schürze

1

Drei rote Becher Mehl in die Schüssel geben.

2

Einen roten Becher Zucker hinzufügen.

Eine halbe Butter in die Schüssel geben.

Ein Ei aufschlagen und hinzufügen.

5

Die Zutaten mit der Hand zu einem geschmeidigen Teig kneten.

6

Den Teig in den Kühlschrank stellen. Den Wecker auf 60 Minuten einstellen und den Teig so lange kühlen.

7

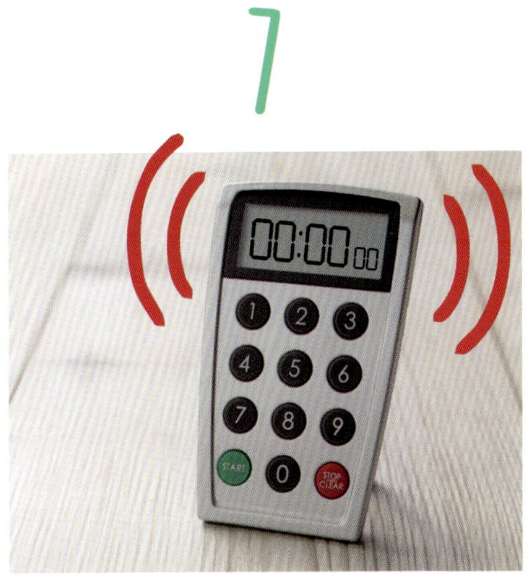

Wenn der Wecker ertönt, den Teig aus dem Kühlschrank nehmen.

8

Einen orangefarbenen Becher Mehl auf der Arbeitsfläche verteilen.

9

Den Teig mit dem Nudelholz ausrollen.

10

Mit dem gelben Becher die Ohren der Bären ausstechen und auf das Backblech legen.

11

Die Gesichter mit dem orangen Becher ausstechen und auf die Ohren legen.

12

Für die Nase werden Teigkreise mit dem gelben Becher ausgestochen und auf die Gesichter gelegt.

13

Ein Ei aufschlagen und mit der Gabel verquirlen.

14

Die Bärengesichter mit Ei bestreichen.

15

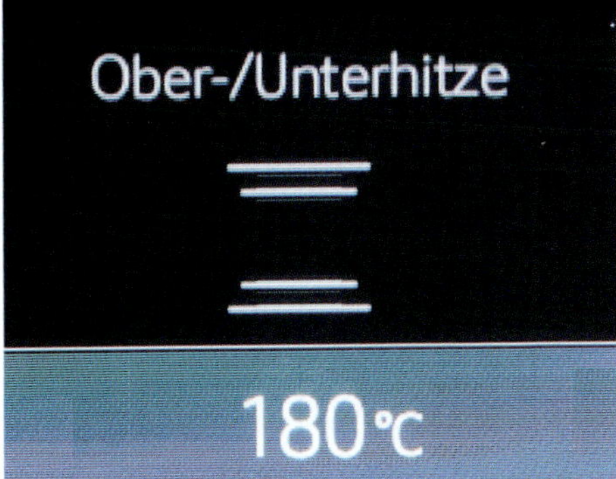

Den Backofen auf 180 °C Ober-/ Unterhitze vorheizen.

16

Mit Schokotropfen Augen und Nase auf die Gesichter legen.

17

Das Blech mit den Bärengesichtern in den Ofen schieben. Den Wecker auf 13 Minuten einstellen und die Kekse backen.

18

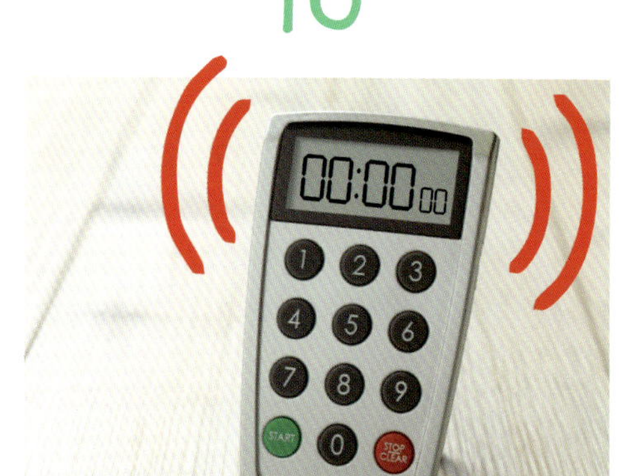

Wenn der Wecker ertönt, das Blech mit den gebackenen Keksen mit Topflappen aus dem Ofen nehmen.

19

Mit dem Zuckerstift Bärenschnauzen auf die Kekse malen.
Fertig!

PLÄTZCHEN MIT ZUCKERGUSS

Ergibt: 40 Stück
Zubereitungszeit: ca. 80 min • Backzeit: 13 min

ZUTATEN

210 g Weizenmehl

100 g Zucker

125 g Butter

1 Ei

60 ml Zitronensaft

250 g Puderzucker

Bunte Zuckerstreusel

MATERIAL

- Becherset
- Wecker
- Schüssel für den Teig
- Glas zum Ei aufschlagen
- Messer
- Gabel
- Nudelholz
- Backblech mit Backpapier
- Schere
- Schüssel für den Zuckerguss
- Pinsel
- Topflappen
- Schürze

1

Wenn der Wecker klingelt, den Teig aus dem Kühlschrank nehmen.

2

Einen orangefarbenen Becher Mehl auf der Arbeitsfläche verteilen.

3

Den Teig mit dem Nudelholz ausrollen.

4

Mit dem roten Becher Herzen ausstechen und auf das mit Backpapier belegte Blech legen.

5

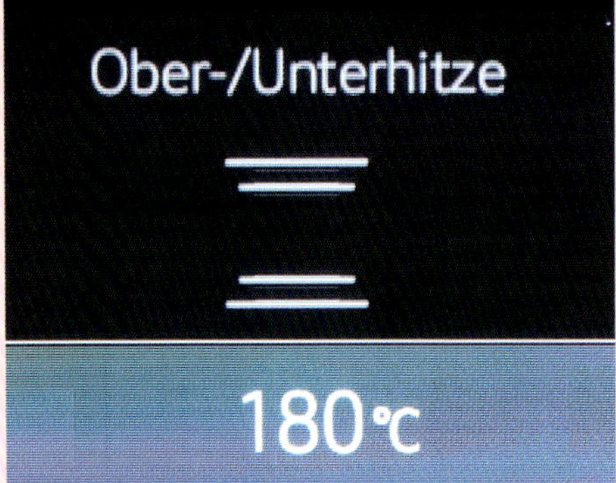

Den Backofen auf 180 Ober-/ Unterhitze vorheizen.

6

Das Blech mit den Herzen in den Ofen schieben. Den Wecker auf 13 Minuten einstellen und die Herzen backen.

7

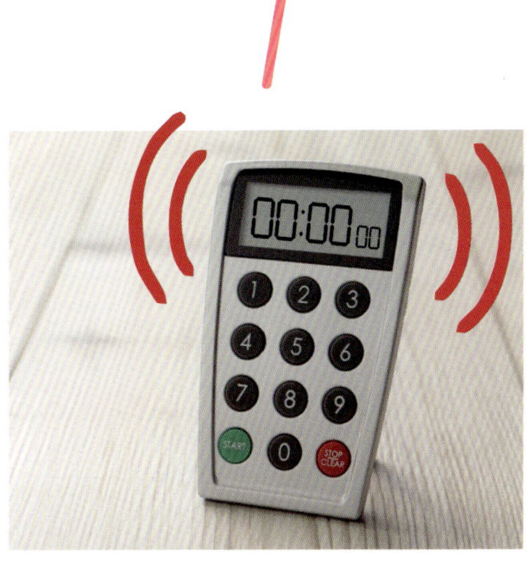

Wenn der Wecker klingelt, das Blech mit den gebackenen Herzen mit Topflappen aus dem Ofen nehmen. Die Kekse auskühlen lassen.

8

Eine Packung Puderzucker in die Schüssel füllen.

9

Zwei orangefarbene Becher Zitronensaft auf den Puderzucker gießen.

10

Die Zutaten mit der Gabel zu einer glatten, dicken Glasur rühren.

11

Die Herzen mit Zuckerguss bestreichen.

12

Die Herzkekse mit Zuckerstreuseln verzieren.
Fertig!

PLÄTZCHEN MIT MARMORIERUNG

Ergibt: 40 Stück

Zubereitungszeit: ca. 80 min • Backzeit: 13 min

ZUTATEN

210 g Weizenmehl

100 g Zucker

125 g Butter

1 Ei

150 g dunkle Kuchenglasur

150 g weiße Kuchenglasur

MATERIAL

- Becherset
- Wecker
- Schüssel für den Teig
- Glas zum Ei aufschlagen
- Messer
- Nudelholz
- Backblech mit Backpapier
- Schüssel für heißes Wasser
- Wasserkocher
- Schüssel für Glasuren
- Schere
- Backgitter
- Topflappen
- Schürze

1

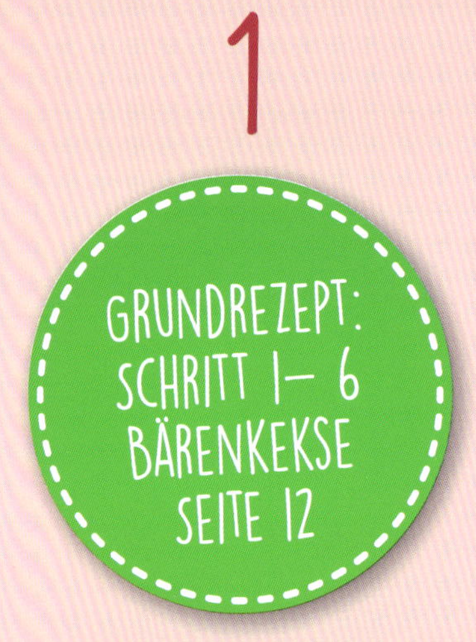

Wenn der Wecker klingelt, den Teig aus dem Kühlschrank nehmen.

2

Einen orangefarbenen Becher Mehl auf der Arbeitsfläche verteilen.

3

Den Teig mit dem Nudelholz ausrollen.

4

Mit dem roten Becher Herzen ausstechen und auf das mit Backpapier belegte Blech legen.

5

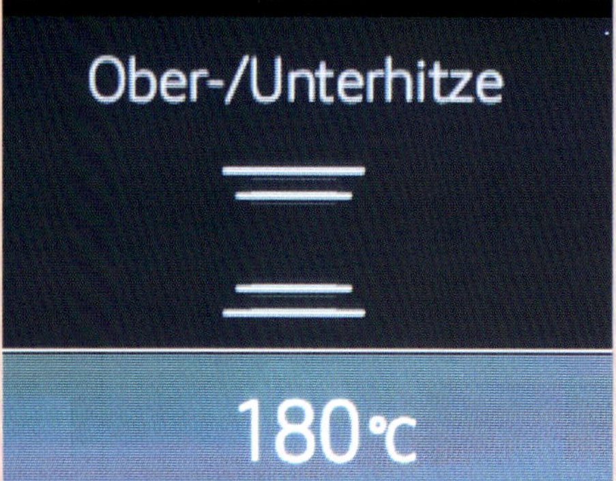

Den Backofen auf 180 Ober-/ Unterhitze vorheizen.

Das Blech mit den Herzen in den Ofen schieben. Den Wecker auf 13 Minuten einstellen und die Herzen backen.

7

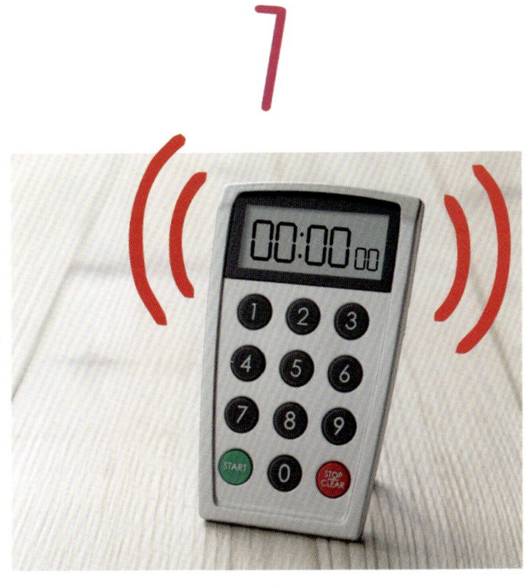

Wenn der Wecker klingelt, das Blech mit den gebackenen Herzen mit Topflappen aus dem Ofen nehmen. Die Kekse auskühlen lassen.

8

Heißes Wasser in eine Schüssel geben und die Kuchenglasuren 15 Minuten hineinlegen.

9

Eine kleine Spitze von jeder Glasurpackung abschneiden.

10

Die Glasuren nacheinander in ein Schälchen gießen.

11

Die ausgekühlten Herzen in die Glasur tauchen, abtropfen lassen und zum Trocknen auf ein Backgitter legen. Fertig!

SCHOKOLINSENPLÄTZCHEN

Ergibt: 50 Stück
Zubereitungszeit: ca. 60 min • Backzeit: 13 min

ZUTATEN

280 g Mehl

100 g Zucker

250 g Butter

1 Ei

2 Päckchen Vanillin-Zucker

100 g gemahlene Mandeln

Schokolinsen

MATERIAL

- Becherset
- Wecker
- Rührschüssel
- Glas zum Ei aufschlagen
- Messer
- Backblech mit Backpapier
- Topflappen
- Schürze

1

Vier rote Becher Mehl in die Schüssel geben.

2

Einen roten Becher Zucker auf das Mehl streuen.

3

Zwei Päckchen Vanilin-Zucker in die Schüssel geben.

4

Die ganze Butter klein schneiden und hinzufügen.

5

Sechs orangefarbene Becher gemahlene Mandeln in die Schüssel geben.

Ein Ei aufschlagen und hinzufügen.

7

Den Teig so lange kneten, bis eine glatte Teigkugel entstanden ist.

8

Den Teig in den Kühlschrank stellen. Den Wecker auf 60 Minuten einstellen und den Teig so lange kühlen.

Wenn der Wecker ertönt, den Teig aus dem Kühlschrank nehmen.

Das Backblech mit Backpapier belegen

11

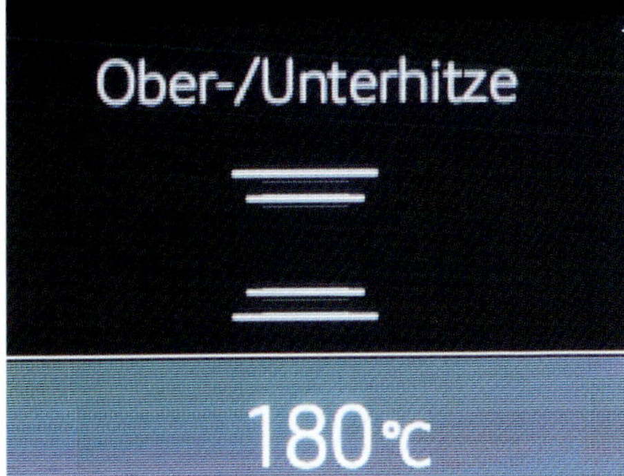

Den Backofen auf 180 Ober-/
Unterhitze vorheizen.

12

Aus dem Teig Kugeln formen und
diese auf das Backblech legen.

13

Die Plätzchen mit Schokolinsen verzieren.

14

Das Blech mit den Plätzchen in den Ofen schieben. Den Wecker auf 13 Minuten einstellen und die Plätzchen backen.

15

Wenn der Wecker ertönt, das Blech mit den gebackenen Schokolinsenplätzchen mit Topflappen aus dem Ofen nehmen. Fertig!

KEKSBLUMEN

Ergibt: 20 Stück
Zubereitungszeit: ca. 40 min • Backzeit: 13 min

ZUTATEN

210 g Weizenmehl

80 g Puderzucker

250 g Butter

1 Päckchen Vanillin-Zucker

3 Päckchen Puddingpulver Vanille (je 35 g)

Kakao

MATERIAL

- Becherset
- Wecker
- Rührschüssel
- Messer
- Backblech mit Backpapier
- Topflappen
- Schürze

1

Drei rote Becher Mehl in die Schüssel geben.

2

Einen roten Becher Puderzucker hinzufügen.

3

Ein Päckchen Vanillin-Zucker in die Schüssel streuen.

4

Drei Päckchen Puddingpulver dazu geben.

5

Die ganze Butter klein schneiden und in die Schüssel geben.

6

Den Teig so lange kneten, bis eine glatte Teigkugel entstanden ist.

7

Den Teig in zwei gleich große Portionen teilen.

8

Zwei gelbe Löffel Kakao zu einer Portion Teig hinzufügen.

9

Den Teig so lange kneten, bis er gleichmäßig braun ist.

Beide Teigkugeln in den Kühlschrank stellen. Den Wecker auf 60 Minuten einstellen und den Teig so lange kühlen.

11

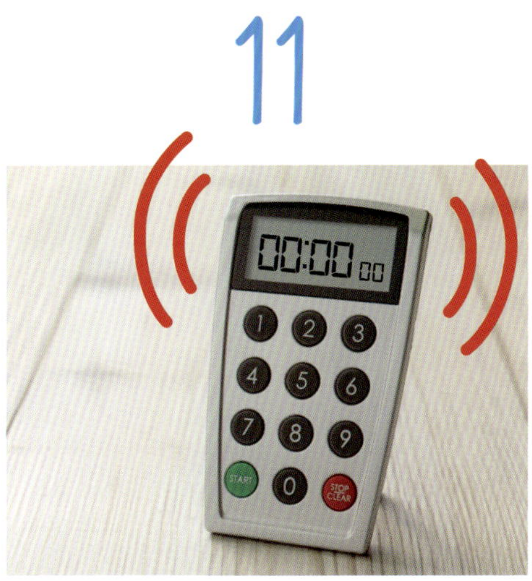

Wenn der Wecker ertönt, den Teig aus dem Kühlschrank nehmen.

12

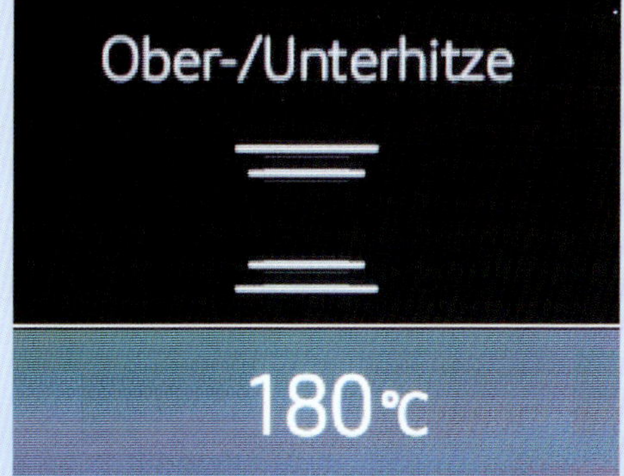

Den Backofen auf 180 °C Ober-/ Unterhitze vorheizen.

13

Den hellen und den dunklen Teig zu kleinen Kugeln formen. Mit den Kugeln Blumen auf das Blech legen.

14

Das Blech mit den Keksblumen in den Ofen schieben. Den Wecker auf 13 Minuten einstellen und die Kekse backen.

15

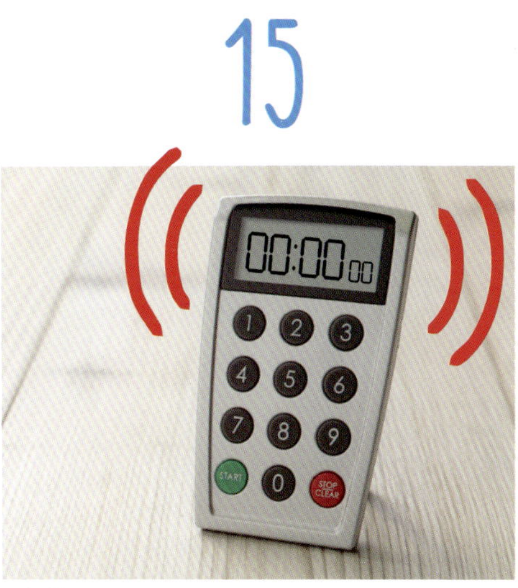

Wenn der Wecker ertönt, das Blech mit den gebackenen Keksblumen mit Topflappen aus dem Ofen nehmen. Fertig!

COOKIES

Ergibt: 24 Stück
Zubereitungszeit: ca. 80 min • Backzeit: 20 min

ZUTATEN

350 g Weizenmehl

200 g Zucker

250 g Margarine

3 Eier

1 Päckchen Backpulver

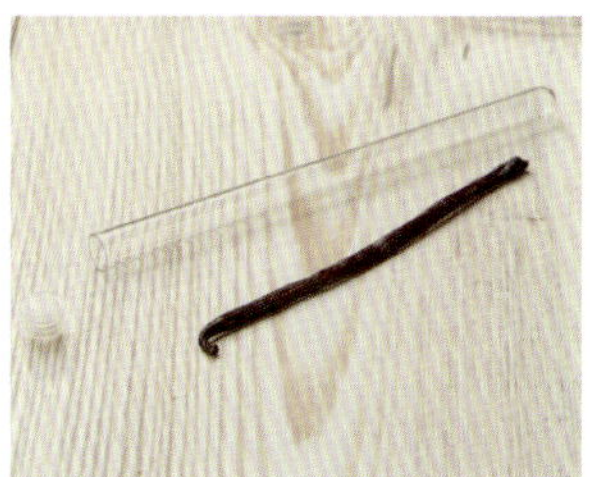
1 Vanilleschote

100 g Schokotropfen

MATERIAL

- Becherset
- Wecker
- Rührschüssel
- Glas zum Ei aufschlagen
- Messer
- kleines Messer
- Löffel
- Rührgerät mit Rührbesen
- Cookie-Backblech
- Topflappen
- Schürze

Die ganze Margarine in die Schüssel geben.

2

Zwei rote Becher Zucker hinzufügen.

3

Fünf rote Becher Mehl in die Schüssel geben.

Einen gelben Löffel Backpulver auf die Zutaten streuen.

5

Die Vanilleschote aufschneiden, auskratzen und das Vanillemark in die Schüssel geben.

6

Drei Eier aufschlagen und hinzufügen.

7

Die Schokotropfen in die Schüssel geben.

Die Zutaten mit dem Rührgerät mit Rührbesen zu einem festen, glatten Teig rühren.

9

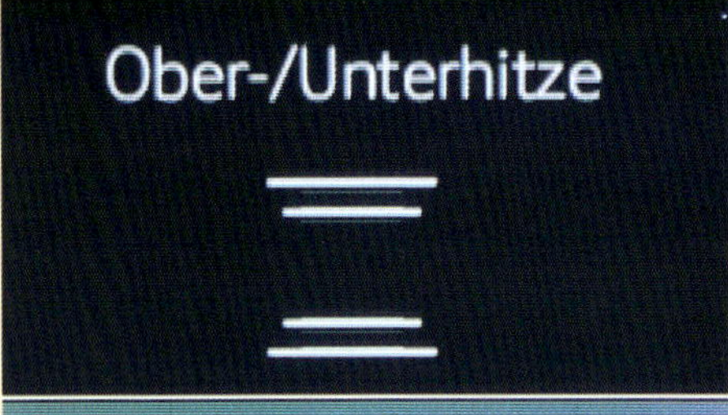

Den Backofen auf 180 °C Ober-/ Unterhitze vorheizen.

10

Mit einem Löffel Teig in das Cookie-Backblech geben.

11

Das Cookie-Backblech auf dem Rost in den Ofen schieben. Den Wecker auf 20 Minuten einstellen und die Cookies backen.

12

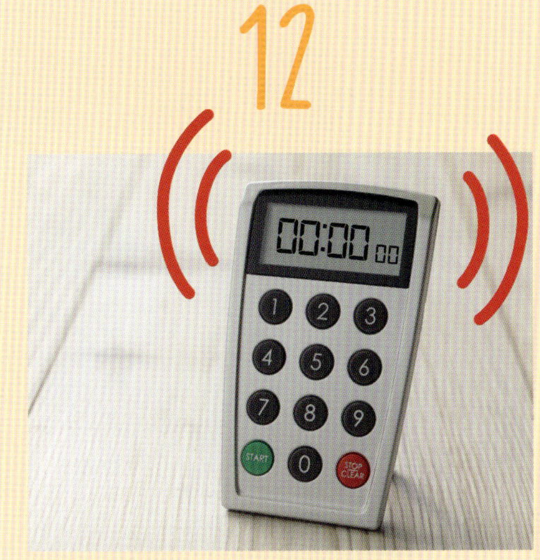

Wenn der Wecker ertönt, das Blech mit den gebackenen Cookies mit Topflappen aus dem Ofen nehmen. Fertig!

CAKEPOPS

Ergibt: 24 Stück
Zubereitungszeit: ca. 90 min • Backzeit: 20 min

ZUTATEN

140 g Weizenmehl

100 g Zucker

125 g Butter

2 Eier

1 Päckchen Backpulver

1 Päckchen Puddingpulver Vanille

120 g Frischkäse

250 g Kuchenglasur dunkel

Bunte Zuckerstreusel

MATERIAL

Becherset
Wecker
Schüssel für den Teig
Schüssel für die Cakemasse
Glas zum Ei aufschlagen
Messer
Löffel
Rührgerät mit Rührbesen
Backform mit Backpapier
Cakepop Stiele
Schüssel für die Glasur
Wasserkocher
Teller
Topflappen und Schürze

1

Zwei rote Becher Mehl in die Schüssel geben.

Einen roten Becher Zucker hinzufügen.

3

Zwei Eier aufschlagen und in die Schüssel geben.

4

Zwei gelbe Löffel Backpulver hinzufügen.

Eine halbe Butter in die Schüssel geben.

Ein Päckchen Puddingpulver hinzufügen.

7

Alle Zutaten mit dem Rührgerät zu einem glatten Teig rühren.

8

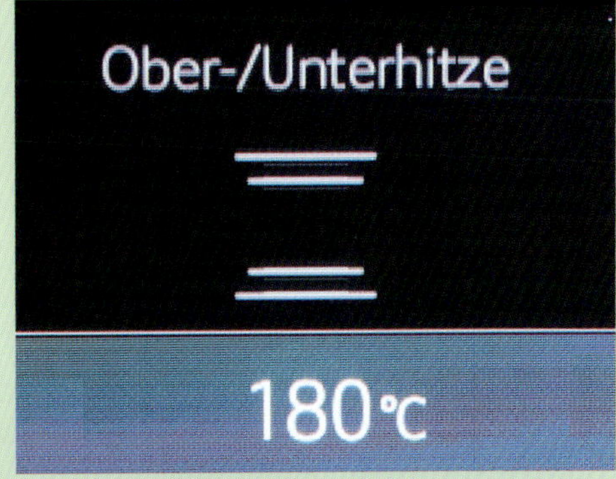

Den Backofen auf 180 Ober-/ Unterhitze vorheizen.

9

Den Teig in die mit Backpapier ausgelegte Form füllen und glatt streichen.

10

Die Form auf dem Rost in den vorgeheizten Ofen schieben. Den Wecker auf 20 Minuten einstellen und den Kuchen backen.

11

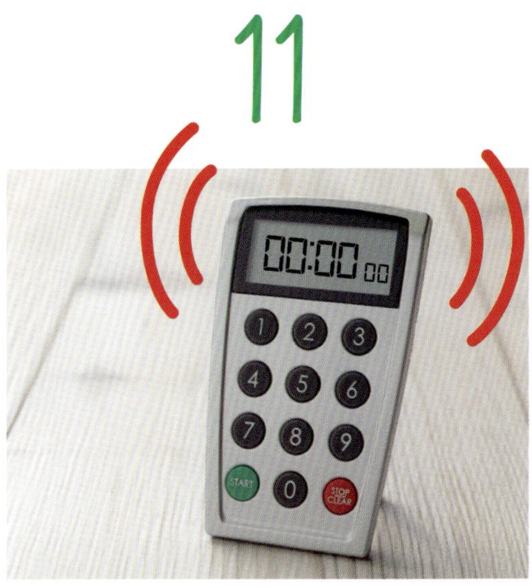

Wenn der Wecker klingelt, den fertigen Kuchen mit Topflappen aus dem Ofen nehmen und auskühlen lassen.

Vier orangefarbene Becher Frischkäse in die Schüssel geben.

13

Den Kuchen zerbröseln und in die Schüssel geben.

14

Den Kuchen mit dem Frischkäse verkneten.

15

Aus der Kuchen-Frischkäsemasse Kugeln formen und diese auf einen mit Backpapier belegten Teller legen.

16

Die Cakekugeln zum Kühlen mindestens 60 Minuten in den Kühlschrank stellen.

17

Heißes Wasser in eine Schüssel geben und die Kuchenglasur 15 Minuten hineinlegen.

18

Die Spitze eines Cakepop-Stiels in die Glasur tauchen und vorsichtig in eine Kugel stecken.

19

Anschließend den ganzen Cakepop in die flüssige Glasur tauchen und etwas abtropen lassen.

20

Mit Zuckerstreuseln bestreuen und in einen Cake-Pop-Ständer stecken. Fertig!

WHOOPIE PIES

Ergibt: 20 Stück
Zubereitungszeit: ca. 70 min • Backzeit: 10 min

MATERIAL

- Becherset
- Wecker
- Schüssel für den Teig
- Schüssel für die Verzierung
- Glas zum Ei aufschlagen
- Messer
- Löffel
- Rührgerät mit Rührbesen
- Cookie-Backblech
- Spritzbeutel
- Topflappen
- Schürze

ZUTATEN

350 g Weizenmehl

200 g Zucker

4 Eier

250 g Margarine

250 ml Milch

1 Päckchen Backpulver

50 g Kakao

Kardamom gemahlen

FÜR DIE CREME

200 g Frischkäse

50 g Puderzucker

200 ml Schlagsahne

1 Päckchen Sahnesteif

1 Päckchen Vanillin-Zucker

1

Einen Becher Margarine in die Schüssel geben.

Zwei rote Becher Zucker hinzufügen.

3

Fünf rote Becher Mehl auf den Zucker streuen.

4

Einen gelben Löffel Backpulver dazu geben.

5

Einen gelben Löffel Kardamom in die Schüssel geben.

6

Vier Eier aufschlagen und hinzufügen.

7

Fünf orangefarbene Löffel Kakao in die Schüssel geben.

Zwei rote Becher Milch über die Zutaten gießen.

9

Alle Zutaten mit dem Rührgerät mit Rührbesen zu einem glatten Teig rühren.

10

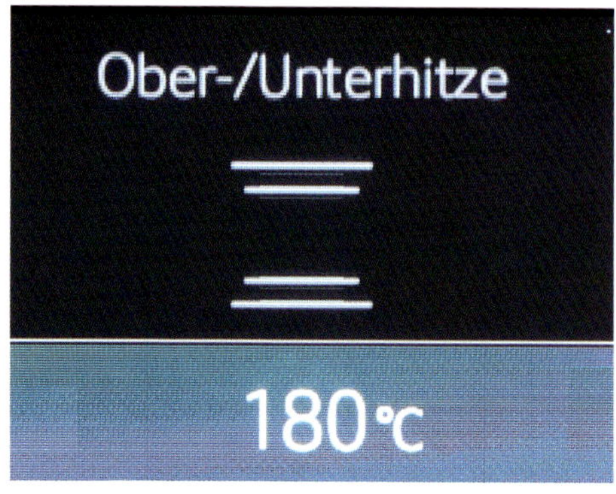

Den Backofen auf 180 °C Ober-/ Unterhitze vorheizen.

11

Mit einem Löffel den Teig im Cookie-Backblech verteilen.

12

Das Cookie-Backblech auf dem Rost in den Ofen schieben. Den Wecker auf 10 Minuten einstellen und die Whoopies backen.

13

Wenn der Wecker ertönt, das Cookie-Backblech mit den gebackenen Whoopies mit Topflappen aus dem Ofen nehmen.

Die Whoopies aus der Form stürzen und auskühlen lassen.

15

Einen Becher Sahne in die Schüssel gießen.

16

Ein Päckchen Sahnesteif einstreuen.

17

Die Sahne mit dem Rührgerät mit Rührbesen steif schlagen.

18

Eine Packung Frischkäse zur Schlagsahne hinzufügen.

19

Zwei orangefarbene Becher Puderzucker hinzufügen.

20

Ein Päckchen Vanillin-Zucker einstreuen.

21

Die Zutaten mit dem Rührgerät mit Rührbesen rühren.

22

Die Frischkäse-Sahne-Masse in den Spritzbeutel füllen.

23

Die Whoopies mit der Creme verzieren. Einen weiteren Whoopie auf die Creme setzen. Fertig!

HALLOWEEN GESPENSTER

Ergibt: 12 Stück
Zubereitungszeit: ca. 80 min • Backzeit: 13min

ZUTATEN

350 g Mehl

150 g Puderzucker

250 g Butter

1 Ei

250 g Nuss-Nougat-Creme

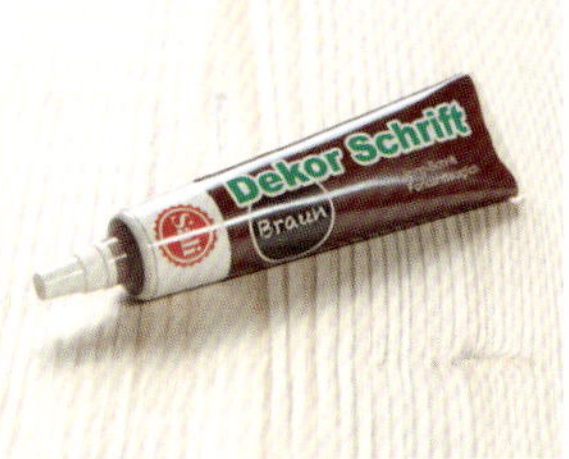

Zuckerschrift braun

MATERIAL

Becherset
Wecker
Schüssel
Glas zum Ei aufschlagen
Messer
Gabel
Nudelholz
Glas zum Ausstechen
Backblech mit Backpapier
Topflappen
Schürze

1

Fünf rote Becher Mehl in die Schüssel geben.

2

Zwei rote Becher Puderzucker hinzufügen.

3

Die ganze Butter klein schneiden und in die Schüssel geben.

4

Ein Ei aufschlagen und hinzufügen.

5

Die Zutaten mit der Hand zu einem glatten Teig kneten.

Den Teig in den Kühlschrank stellen. Den Wecker auf 60 Minuten einstellen und den Teig so lange kühlen.

7

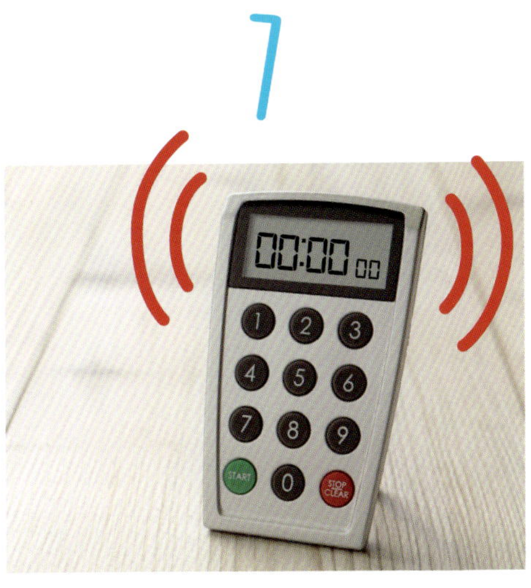

Wenn der Wecker klingelt, den Teig aus dem Kühlschrank nehmen.

8

Einen orangefarbenen Becher Mehl auf der Arbeitsfläche verteilen.

9

Den Teig mit dem Nudelholz ausrollen.

10

Mit einem Glas Kreise ausstechen und auf das mit Backpapier belegte Blech legen.

11

Mit dem gelben Becher Augen in die Hälfte der Kreise stechen.

12

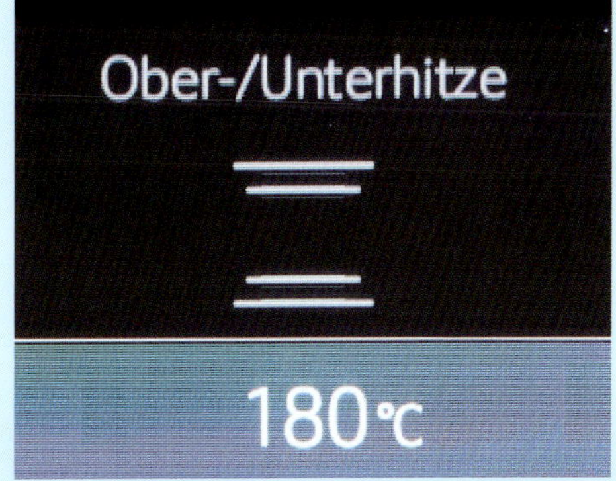

Den Backofen auf 180 Ober-/ Unterhitze vorheizen.

13

Das Blech in den Ofen schieben und den Wecker auf 13 Minuten einstellen.

14

Wenn der Wecker klingelt, das Blech mit Topflappen aus dem Ofen nehmen. Die Kekse auskühlen lassen.

15

Nuss-Nougat-Creme auf den Kekstalern verteilen.

16

Auf jeden Nuss-Nougat-Kreis einen Keks mit Augen legen.

17

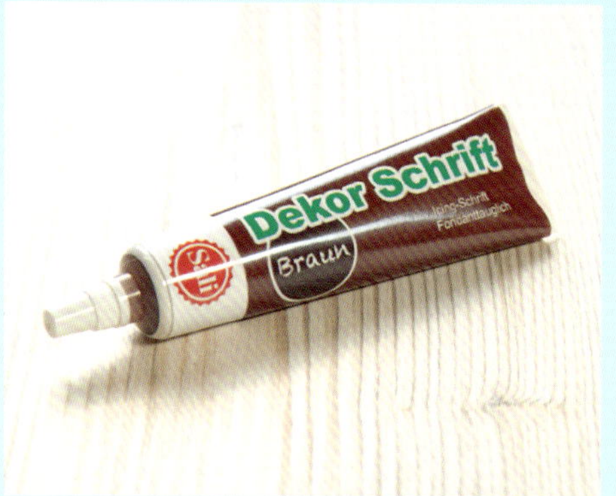

Mit der Zuckerschrift Nase und Mund auf die Gespenster malen.
Fertig!

LINZERPLÄTZCHEN

Ergibt: 60 Stück
Zubereitungszeit: ca. 80 min • Backzeit: 15 min

ZUTATEN

280 g Weizenmehl

200 g Zucker

250 g Butter

1 Ei

Nelkengewürz

Zimt

Kakao

200 g gemahlene Haselnüsse

250 g Himbeermarmelade

MATERIAL

- Becherset
- Wecker
- Schüssel für den Teig
- Messer
- Glas zum Ei aufschlagen
- Löffel
- Teelöffel
- Backblech mit Backpapier
- Schere
- Nudelholz
- Topflappen
- Schürze

1

Vier rote Becher Mehl in die Schüssel geben.

Zwei rote Becher Zucker hinzufügen.

3

Die ganze Butter klein schneiden und in die Schüssel geben.

Ein Ei aufschlagen und in die Schüssel geben.

5

Eine Packung gemahlene Haselnüsse auf die Zutaten streuen.

Einen gelben Löffel Nelkengewürz hinzufügen.

Einen gelben Löffel Zimt dazu geben.

8

Einen orangefarbenen Becher Kakao in die Schüssel streuen.

9

Die Zutaten mit der Hand zu einem glatten Teig kneten.

10

Den Teig in den Kühlschrank stellen. Den Wecker auf 60 Minuten einstellen und den Teig so lange kühlen.

11

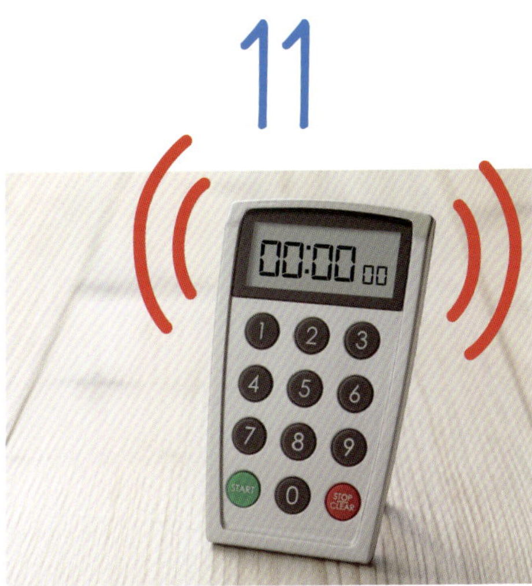

Wenn der Wecker ertönt, den Teig aus dem Kühlschrank nehmen.

12

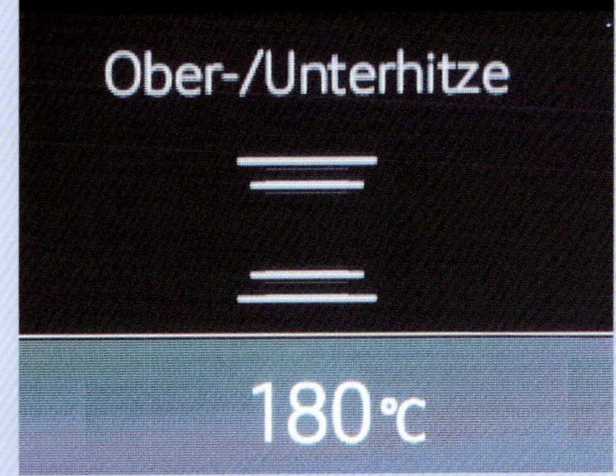

Den Backofen auf 180 Ober-/ Unterhitze vorheizen.

13

Einen orangfarbenen Becher Mehl auf der Arbeitsfläche verteilen.

14

Den Teig mit dem Nudelholz ausrollen.

15

Mit dem roten Becher Herzen ausstechen und auf das mit Backpapier belegte Backblech legen.

16

Mit dem gelben Becher Kreise in die Hälfte der Herzen stechen.

17

Das Blech mit den Herzen in den Ofen schieben. Den Wecker auf 15 Minuten einstellen und die Plätzchen backen.

18

Wenn der Wecker ertönt, das Blech mit den gebackenen Herzen mit Topflappen aus dem Ofen nehmen. Die Plätzchen auskühlen lassen.

19

Marmelade auf den Herzen verteilen und mit dem Messer verstreichen.

20

Auf jedes Marmeladenherz ein Herz mit Loch legen. Fertig!

KOKOSMAKRONEN

Ergibt: 20 Stück
Zubereitungszeit: ca. 30 min • Backzeit: 12 min

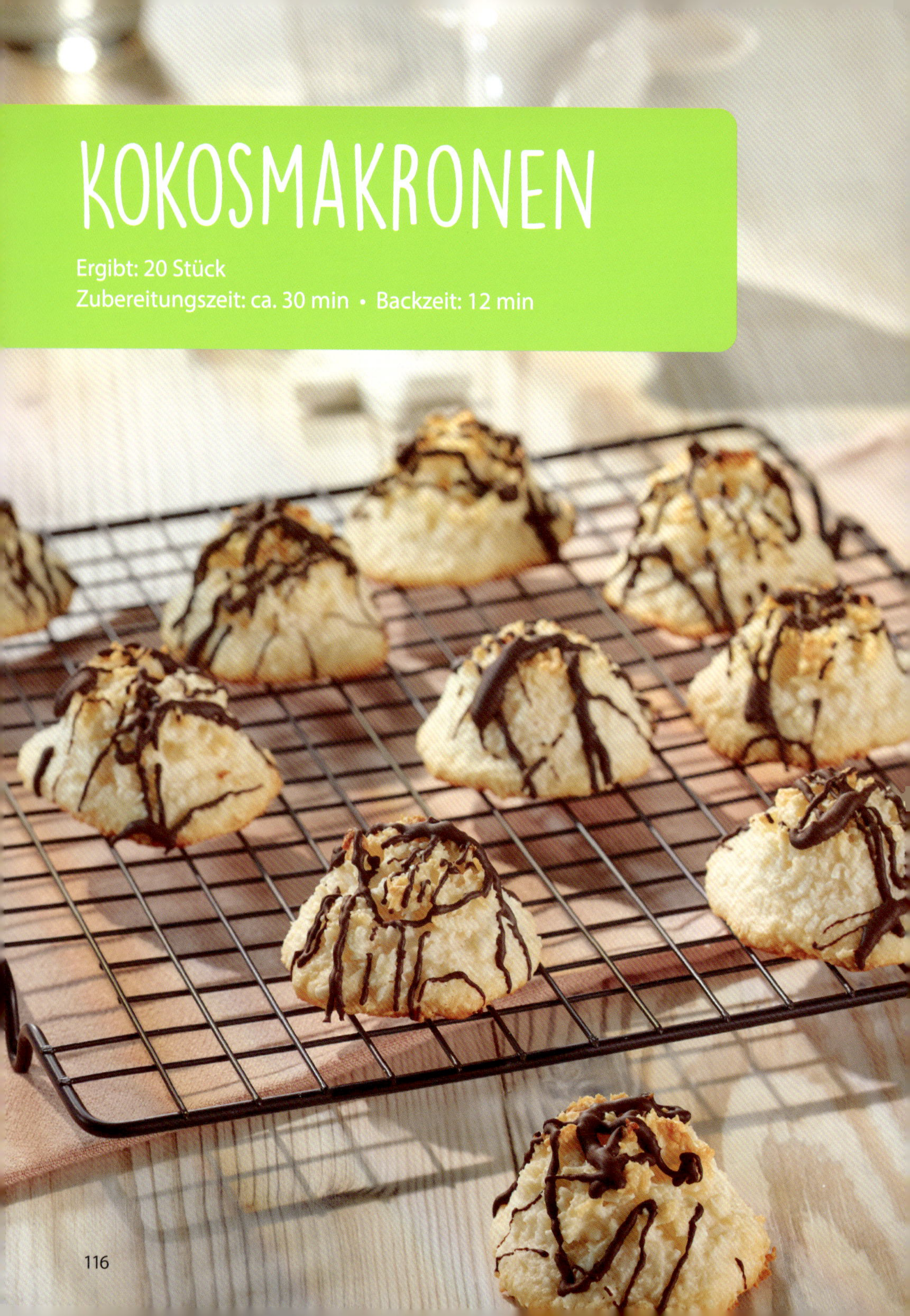

ZUTATEN

200 g Kokosraspel

400 g gezuckerte Kondensmilch

FÜR DIE VERZIERUNG

100 g dunkle Kuchenglasur

MATERIAL

- Wecker
- Schüssel für Teig
- Dosenöffner
- Löffel
- Backblech mit Backpapier
- Eisportionierer (Durchmesser 4 cm)
- Schüssel für heißes Wasser
- Wasserkocher
- Schere
- Topflappen
- Schürze

1

Eine Packung Kokosraspel in die Schüssel geben.

2

Eine Dose gezuckerte Kondensmilch öffnen, und in die Schüssel gießen.

3

Die Zutaten zu einer festen Masse rühren.

4

Mit dem Eisportionierer Kekse formen und auf das mit Backpapier belegte Blech setzen.

5

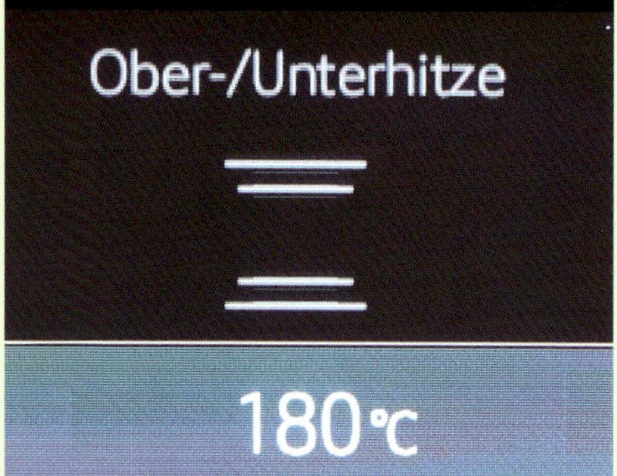

Der Backofen auf 180 °C Ober-/ Unterhitze vorheizen.

6

Das Blech mit den Kokosmakronen in den Ofen schieben. Den Wecker auf 12 Minuten einstellen und die Kekse backen.

7

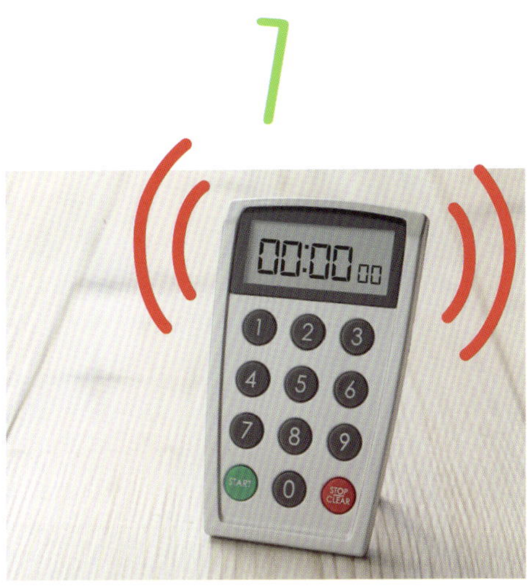

Wenn der Wecker klingelt, das Blech mit den gebackenen Makronen mit Topflappen aus dem Ofen nehmen und auskühlen lassen.

8

Heißes Wasser in eine Schüssel gießen und die Schokoglasur für 10 Minuten hineinlegen.

9

Mit der Schere eine Spitze von der Verpackung abschneiden und die Schokoglasur in feinen Linien über den Kokosmakronen verteilen.
Fertig!

VANILLEKIPFERL

Ergibt: 50 Stück
Zubereitungszeit: ca. 80 min • Backzeit: 12 min

ZUTATEN

350 g Weizenmehl

250 g Butter

1 Ei

160 g Puderzucker

100 g gemahlene Mandeln

Vanille Extrakt

MATERIAL

- Becherset
- Wecker
- Schüssel
- Glas zum Ei aufschlagen
- Messer
- Löffel
- Frischhaltefolie
- Schere
- Sieb
- Backblech mit Backpapier
- Topflappen
- Schürze

1

Fünf rote Becher Mehl in die Schüssel geben.

2

Zwei rote Becher Puderzucker hinzufügen.

Einen gelben Löffel Vanille Extrakt in die Schüssel geben.

Sechs orange Becher gemahlene Mandeln hinzufügen.

5

Eine ganze Butter in die Schüssel geben.

Ein Ei aufschlagen und hinzufügen.

7

Die Zutaten mit der Hand zu einem glatten Teig kneten.

Den Teig in 4 gleich große Stücke teilen.

9

Vier Teigstränge formen und in Frischhaltefolie einwickeln.

10

Den Teig in den Kühlschrank legen. Den Wecker auf 60 Minuten einstellen und den Teig so lange kühlen.

11

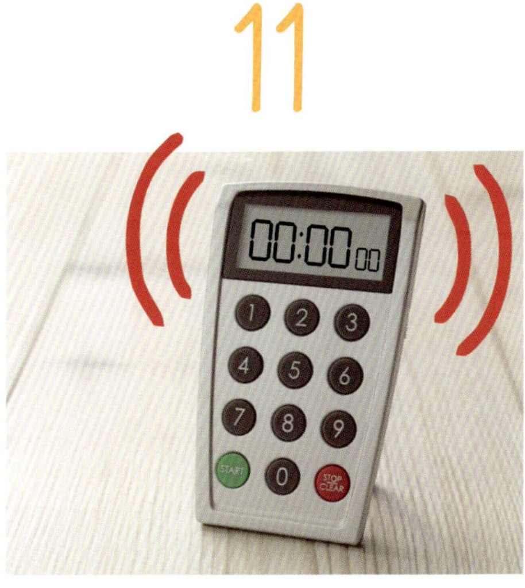

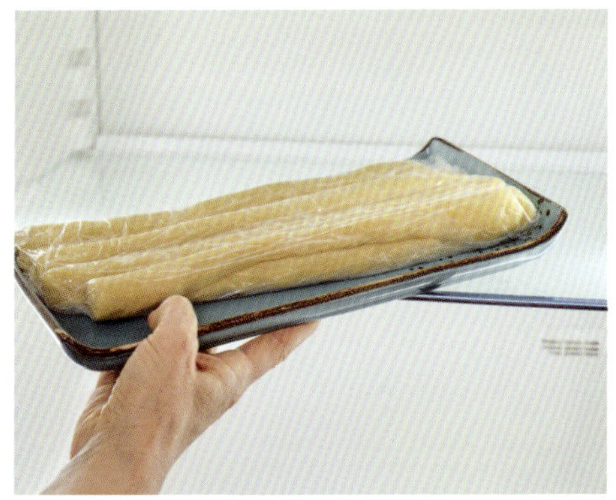

Wenn der Wecker klingelt, den Teig aus dem Kühlschrank nehmen.

12

Vom Teigstrang gleich große Portionen abschneiden und zu Kipferl formen.

13

Die Vanillekipferl auf ein mit Backpapier belegtes Blech legen.

14

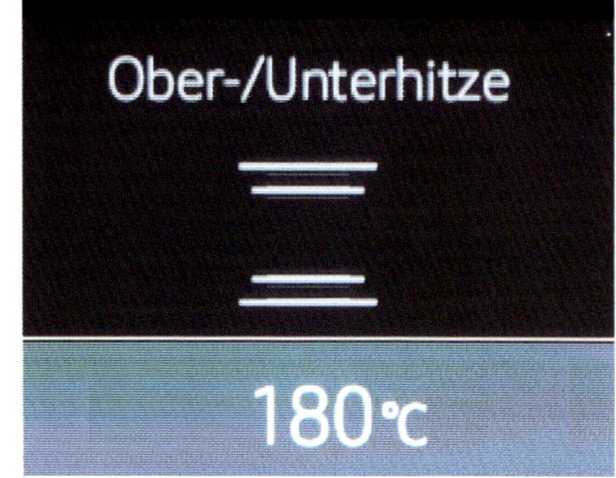

Den Backofen auf 180 Ober-/ Unterhitze vorheizen.

15

Das Blech mit den Kipferl in den Ofen schieben. Den Wecker auf 12 Minuten einstellen und die Kipferl backen.

16

Wenn der Wecker klingelt, das Blech mit den gebackenen Kipferl mit Topflappen aus dem Ofen nehmen.

17

Die warmen Kipferl mit Puderzucker bestäuben.
Fertig!

SCHOKOLEBKUCHEN

Ergibt: 1 Blech
Zubereitungszeit: ca. 50 min • Backzeit: 25 min

MATERIAL

Becherset	Messer	Schere
Wecker	Rührgerät mit Rührbesen	Wasserkocher
Schüssel für Teig	Blech mit Backpapier	Topflappen
Glas zum Ei aufschlagen	Schüssel für heißes Wasser	Schürze

ZUTATEN

350 g Weizenmehl

200 g Zucker

4 Eier

250 ml Sonnenblumenöl

250 ml Mineralwasser

1 Päckchen Backpulver

Kakao

Lebkuchengewürz

Zimt

Kuchenglasur

1

Fünf rote Becher Mehl in die Schüssel geben.

2

Zwei rote Becher Zucker hinzufügen.

3

Ein Päckchen Backpulver auf den Zucker streuen.

4

Vier Eier aufschlagen und in die Schüssel geben.

5

Einen gelben Löffel Zimt in die Schüssel geben.

Vier gelbe Löffel Lebkuchengewürz hinzufügen.

7

Vier gelbe Löffel Kakao in die Schüssel streuen.

8

Zwei rote Becher Öl in die Schüssel gießen.

9

Zwei rote Becher Mineralwasser hinzufügen.

10

Die Zutaten mit dem Rührgerät mit Rührbesen zu einem glatten Teig rühren.

11

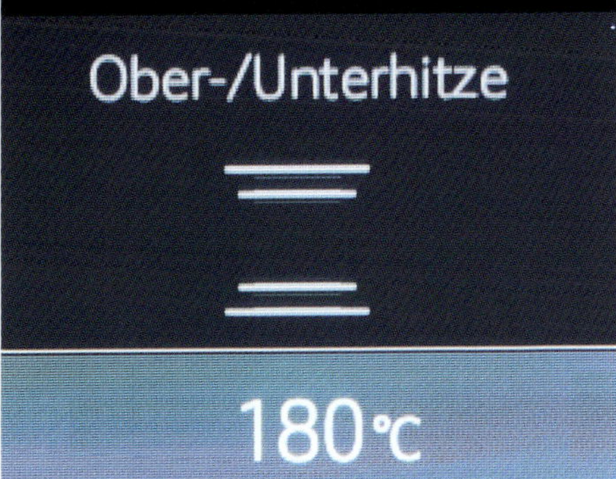

Den Backofen auf 180 °C Ober-/
Unterhitze vorheizen.

12

Den Lebkuchenteig auf dem mit Backpapier belegten Backblech verteilen.

13

Das Blech mit dem Lebkuchenteig in den Ofen schieben. Den Wecker auf 25 Minuten einstellen und den Lebkuchen backen.

14

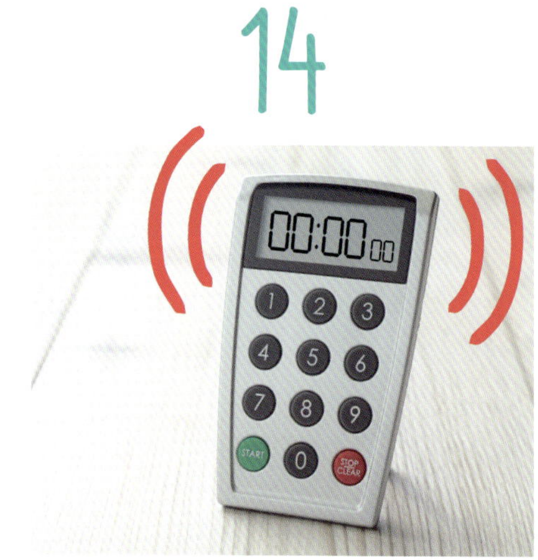

Wenn der Wecker ertönt, das Blech mit dem gebackenen Lebkuchen mit Topflappen aus dem Ofen nehmen.

15

Heißes Wasser in eine Schüssel geben und die Kuchenglasur für 10 Minuten hineinlegen.

16

Mit einer Schere eine Spitze von der Verpackung abschneiden und die Kuchenglasur in feinen Linien über den Lebkuchen verteilen.
Fertig!

Autorin
Birgit Wenz

Verlag
Stefan Wenz – Becherkueche.de
79288 Gottenheim
info@becherkueche.de
www.becherkueche.de

Vermarktung & Vertrieb
DS Produkte GmbH
Stormarnring 14
22145 Stapelfeld
www.dspro.de

Layout
Goldfieber Werbeagentur, Freiburg
www.goldfieber.com

Fotografie
Flashpointstudio GbR, Freiburg
www.flashpointstudio.de

Bildnachweise
Titel: Fotolia

2. Auflage Mai 2024
ISBN 978-3-9818650-5-9

Die Informationen und Ratschläge in diesem Buch sind von der Autorin sorgfältig erwogen und geprüft, dennoch kann eine Garantie nicht übernommen werden. Eine Haftung der Autorin und ihrer Beauftragten für Personen-, Sach- und Vermögensschäden ist ausgeschlossen.